Dominique Roques

Alexis Dormal

PICO BOGUE

LÉGÈRE CONTRARiÉTÉ

DARGAUD

Paris · Barcelone · Bruxelles · Lausanne · Londres · Montréal · New York · Stuttgart · La Hulpe

A Monique

PICO BOGUE

Déjà parus :

LA VIE ET MOI
TOME 1

SITUATIONS CRITIQUES
TOME 2

QUESTION D'ÉQUILIBRE
TOME 3

PICO LOVE
TOME 4

LÉGÈRE CONTRARIÉTÉ
TOME 5

RESTONS CALMES
TOME 6

Ana Ana

DOUCE NUIT
TOME 1

DÉLUGE DE CHOCOLAT
TOME 2

Certifié PEFC
Ce produit est issu de forêts gérées durablement et de sources recyclées et contrôlées.
PEFC
10-31-1800
pefc-france.org

www. dargaud . com

PREMIÈRE ÉDITION EN 2011
Conception graphique : Philippe Ravon

Dépôt légal : septembre 2013 • ISBN 978-2205-06815-3
Imprimé et relié en France par PPO GRAPHIC, 91120 PALAISEAU

Gratin

Miam miam! La belle croûte de fromage !
C'est une nouvelle recette de gratin.
Si le dessous vaut le dessus, ça va être délicieux !
Pas de méchante critique à faire ?
Non...
...J'ai un bon fond, moi, contrairement à ce gratin.
Roques & Dormal

Été

Je rentre, il fait trop chaud !
Les radiateurs sont tout frais.
Même en été, on peut les rentabiliser !
Roques & Dormal

Du sang

Aaah !
J'ai du sang humain sur les mains ! C'est horrible !
Tu t'es coupé ?
Non.
C'est le sang de quelqu'un d'autre.
J'ai tué !
Ah oui, tu as écrasé un moustique qui était plein du sang de quelqu'un d'autre.
Tu dégoûterais Shakespeare d'écrire des tragédies !
Roques & Dormal

Piscine 1

La vie est dure ?
Comme un caramel dur.
Je peux savourer la vie, moi. Je suis pas encore carié !

Roques & Dormal

Chocolat

Tu me donnes ton chocolat ?
Oui.

Moi, je n'aurai pas d'enfant.
Pour ne pas devoir lui donner ton chocolat ?

Oui !
Tu as raison. On souffre quand on est père.

Pauvre papa ! Tu le veux ? Hi, hi !

Oh, merci !

BONAPARTE

Tu vois, l'avantage d'être père, c'est qu'on n'est pas dégoûté par les mâchouillis de son fils.

Roques & Dormal

Narcisse

Qu'est-ce que vous faites ?
Tu connais Narcisse ? C'est un garçon qui est tombé amoureux de son reflet dans l'eau.

Mais on comprend pas. On est toutes défigurées quand on se penche !

Hooou ! ... mon pauvre ! Qu'est-ce que t'es moche !

Comment peut-on être narcissique avec une telle tronche ?

Mais faut pas t'en faire, p'tite horreur ! On t'aime d'autant plus !

Viens que je te fasse un bisou, mon p'tit chagrinou d'amour !

Glou, glou, glou.

Roques & Dormal

Piscine 2

Tu vas rester immobile pendant toutes les vacances ?

Ho! J'arrête pas de bouger! Tous mes électrons qui galopent autour de tous les atomes de mon corps... c'est du mouvement !

blobb

Et mon transit intestinal, c'est du mouvement!

Roques & Dormal

Au lit !

Au lit, Pico.

Maman, tu es "l'auteur" de mes jours.

Donc, tu peux me "dicter" ma vie quand il fait jour.

Mais tu n'es pas l'auteur de mes nuits!

Roques & Dormal

Vacances

L'école est finie ! Vive les vacances !
À bas l'école !
Oh, y a des choses que j'ai aimées, à l'école !
Booo... quoi ?
J'ai bien aimé cette phrase qu'avait lue le prof...
..."L'âme est le seul oiseau qui soutienne sa cage."
Et c'est vrai ! Notre corps est comme une cage, et dedans il y a l'âme qui la fait bouger.
C'est chouette !
Une chouette en cage, j'aime pas trop.
Arrête ! Moi je trouve que c'est malin de comparer l'âme qui est dans le corps à un oiseau en cage !

Ah oui !

C'est vrai que les côtes ressemblent aux barreaux d'une cage.

Et tu as raison : l'âme est un oiseau.

Si tu ouvres la cage thoracique avec un couteau...

Fratch !

...et que tu écartes la chair...

...et les os...

...et que tu fais sortir l'âme...

...l'âme fera comme tous les oiseaux élevés en captivité...

...quand ils sont libérés, ils crèvent.

J'ai pas du tout aimé cette phrase.

Roques & Dormal

Norma dans l'arbre 1

Tu t'entraînes à faire ta signature ?
Oui.

Comme je la garderai toute ma vie, il faut qu'elle soit belle.
Je ne reconnais aucune lettre dans ce que tu écris.

Je suis forcée de la faire sans lettres...

...puisque je ne connais pas encore mon nom de femme mariée.

Roques & Dormal

Retour

Coucou !
Coucou ! Tu t'es bien amusé chez Barnabé ?

Oui ! Mais alors sa maman nettoie tellement la maison que tu compatis avec les microbes !

C'est tellement propre qu'on pourrait t'opérer par terre !

Ça fait du bien de retrouver sa p'tite cracrasse !

Roques & Dormal

Haricots

Tu sais quelle différence il y a entre moi ?
Je ne comprends pas ta question.
Ben, moi je préfère ne pas manger de haricots, surtout moi.
Je ne comprends rien à ce que tu dis.
Bah ! Tu ne comprends rien à ce que disait Einstein. Pourtant c'était quelqu'un.
Il disait quoi ?
Ben, il a dit E = mc². Et ça a donné la bombe atomique.
Roques & Dormal

Voyage

Pourquoi on voyage jamais en avion ?
Ça gaspille trop de kérosène, l'avion.
Or à l'heure actuelle...
... il faut économiser l'énergie.
Ah oui. C'est vrai !
Roques & Dormal

Pêche

Où est ma pêche ? Elle était sur la table !
Heu... Je l'ai mangée. Je croyais que tu n'en voulais plus.

Au contraire ! J'avais laissé le meilleur pour la fin !

T'as du remords, j'espère !

Un remords énorme !

Comme ça !

Comme çaaaaaaa !

Haaa !

Haaa !
BAM BAM

Haaa !

Tu ne crois pas que tu exagères ?
Non.

Je ne peux pas savourer ma pêche.

Alors je savoure ma colère.

Roques & Dormal

Baleines

Cette nuit, dans mon rêve, tu as dit qu'on ira bientôt voir des baleines.
Ça sera quand ?
Ce n'est pas moi qui ai dit ça, Ana Ana.
C'était ma figure, ma bouche, mais ce n'était pas mon cerveau. Je ne peux pas entrer entièrement dans tes rêves !
Alors tu n'as pas dit qu'on ira voir les baleines ?
Non, Moumouche.
Et moi... je n'entre pas entièrement dans tes rêves, non plus ?
Non ! Et pourtant tu es la fille de mes rêves !
Une fille triste, c'est la fille de tes rêves ?
Roques & Dormal

Matin

Debout ! Le monde appartient à ceux qui se lèvent tôt !
Je déteste les proverbes !
Ils ont un fond de vérité.
Comme : "On choisit ses amis, pas sa famille" ?
Ça, c'est méchant.
"Qui aime bien, châtie bien."
Roques & Dormal

Annonce 1

Votre mère et moi sommes invités par un collègue à passer quelques jours sur son voilier.
Chez qui aimeriez-vous aller pendant ce temps ?
Ça va, les enfants ?
Les enfants qui viennent de perdre leurs parents, on les appelle des orphelins.
Roques & Dormal

Badminton

On fait un badminton ?

Un jour, on a inventé la fission du noyau de l'uranium, et ça a donné la bombe A qui a explosé sur Hiroshima.

En partant sans nous en vacances, papa et maman ont inventé la fission du noyau familial...

...et ça a explosé sur notre poire !

Roques & Dormal

Dialogue

Est-ce qu'on leur pardonne de nous abandonner pour les vacances ?

Non ! Pardonner, ça se commande pas. Ça doit se faire spontanément.

Vous oublierez vite.

Et paf ! On doit aussi leur pardonner de vouloir qu'on ait la maladie d'Alzheimer !

Roques & Dormal

Cabane

Tu devrais tourner les chaises pour que ta cabane soit plus haute !
Nan!
Cesse de bouder! Je vais te montrer !
Et voilà ! C'est mieux, non ?
T'as peut-être pas réussi comme tu voulais dans la vie...
... mais c'est pas une raison pour reporter tes rêves de grandeur sur moi !

Roques & Dormal

Jardinage

Tu me fais encore la tête.
Qu'est-ce que tu enterres ?
Une graine de rose trémière.
Elle est morte ?
Mais non !
Eh ben bravo ! Tu l'enterres vivante !
Elle va mettre combien de temps pour mourir ?
Elle va se transformer en fleur.
Ah oui ! T'es content parce qu'elle fera pousser elle-même une fleur sur sa tombe !
Assassin et en plus feignasse !
Roques & Dormal

Faucon

Vous savez pourquoi on dit "dessiller les yeux"?
Non.

Autrefois, pour dresser les faucons, on leur cousait les paupières...

...On passait un fil, avec une aiguille, dans les paupières du bas...
Quelle horreur !

...et on nouait le fil au-dessus de la tête...
Bon ! Arrête !

...Comme ça, le faucon voyait à peine.

Et quand il était dressé, on lui dessillait les yeux en décousant les paupières.

Ça va ! Arrête !

Eh ben moi, que mes parents m'abandonnent pour les vacances, ça m'a dessillé les yeux sur eux.

Je vois tous leurs défauts !

Leur défaut, c'est de pas t'avoir cousu la bouche.

Roques & Dormal

Un chien

Grrr...
Normal que les chiens s'énervent parfois quand on les caresse.
Parce que là, c'est surtout toi qui avais envie de te frotter sur ses poils !
Bonjour Pico !
J'a-...
...-dore...
...tes cheveux !
Eh ben ! Elle s'est frottée sur tes poils et t'as pas osé grogner !
Mais j'ai pas dit bonjour non plus ! Comme un chien !
Roques & Dormal

Bobby 1

J'ai pas d'argent et pas d'argument pour te persuader de me faire crédit.

Et tu es quand même venu me voir ? C'est gentil.

Oui, hein ?

Et qu'est-ce que tu dis, du coup ?

Tu es vraiment gentil !

Bon ! Ben faut pas abuser de ma gentillesse !

Roques & Dormal

Façon de voir

Je sais pourquoi les mâles comme moi sont des conquérants.

Je garderai toujours l'ultrapuissance du spermatozoïde...

... qui a réussi à entrer dans un ovule pour me faire naître !

Moi, je suis née d'un ovule qui n'a fait qu'une seule bouchée d'un ultrapuissant spermatozoïde.

Roques & Dormal

Reality-show

Moi, depuis que les parents ont dit qu'ils nous viraient pour les vacances, je crois vivre dans un reality-show.

Tu sais... ces trucs où les gens s'éliminent les uns les autres, dans une émission, à la télé.

Hé ! Tu exagères ! On ne se sépare que pour une semaine !

Ah ? Aucune marque n'a voulu vous sponsoriser plus longtemps ?

Roques & Dormal

Vaisselle

cling!
Tu es fou?
Je me révolte.
Eh bien, file te révolter dans ta chambre!
Ha! J'étais sûr que tu t'énerverais direct au lieu de me demander contre quoi je me révolte!
Contre quoi tu te révoltes?
Contre ta réaction: t'énerver.
Mais tu ne savais pas encore que j'allais m'énerver!
Si!
Oui, évidemment! Tu casses une assiette. Tu savais que j'allais m'énerver.
Ah? Il y a une seconde, tu disais le contraire.
Pico, tu m'énerves!
Maman! C'était une blague! L'assiette était complètement fêlée.
Ah!... Je croyais l'avoir jetée... Je ne savais pas.
C'est ça qui me révolte!
Tu as préféré croire que c'était moi qui étais fêlé.
Roques & Dormal

Goûter

Ana Ana, arrête de bouder !
J'aimerais bien voir un tout petit sourire !
Aïe !

Roques & Dormal

Piscine 3

Pathétique.
Tu trouves que je fais tache dans ton beau jardin, hein ?
Tu préférerais un jardin genre Versailles ? Eh ben voilà !

Roques & Dormal

Buanderie

Il y a 100 ans, on aurait dû tout laver à la main !
C'est fantastique, une machine à laver !
Non ! C'est pas fantastique !
"Fantastique", ça veut dire "qui n'existe pas dans la réalité" !
Alors si elle est fantastique...
... Froutt, froutt ! Elle ne devrait plus exister !
Tu ne connais pas le sens des mots !
Ah oui...
Je savais pas. Je suis nulle.
Mais toi, tu es fantastique !
Alors froutt, froutt !

Roques & Dormal

Bobby 2

J'ai pas d'argent, mais je dois manger des bonbons pour me calmer. Tu veux bien ?
Qu'est-ce qui ne va pas ?
Les parents nous abandonnent, Ana Ana et moi... Ils s'en vont... tout seuls... Depuis, ma vie, c'est la nuit totale.
La nuit est le fond de l'univers. Le jour n'est qu'une trouée dans la nuit étoilée.
Mes parents m'abandonnent ! Ma nuit n'est pas étoilée.
Si tu ne vois pas les étoiles, c'est à cause des nuages.
Être abandonné, c'est un très gros nuage. Je peux ?
Rassure-toi, quand il y a des nuages, la nuit est claire parce que les nuages réverbèrent les lumières de la ville.
Arrête avec tes nuages ! Mes parents m'abandonnent ! Je peux ??
Et en hiver, une petite couverture nuageuse, ça tient chaud.
Ils m'abandonnent en plein été ! Je peux ??
Un nuage en été, ça rafraîchit.
Tu m'abandonnes ?

Roques & Dormal

Fléchettes

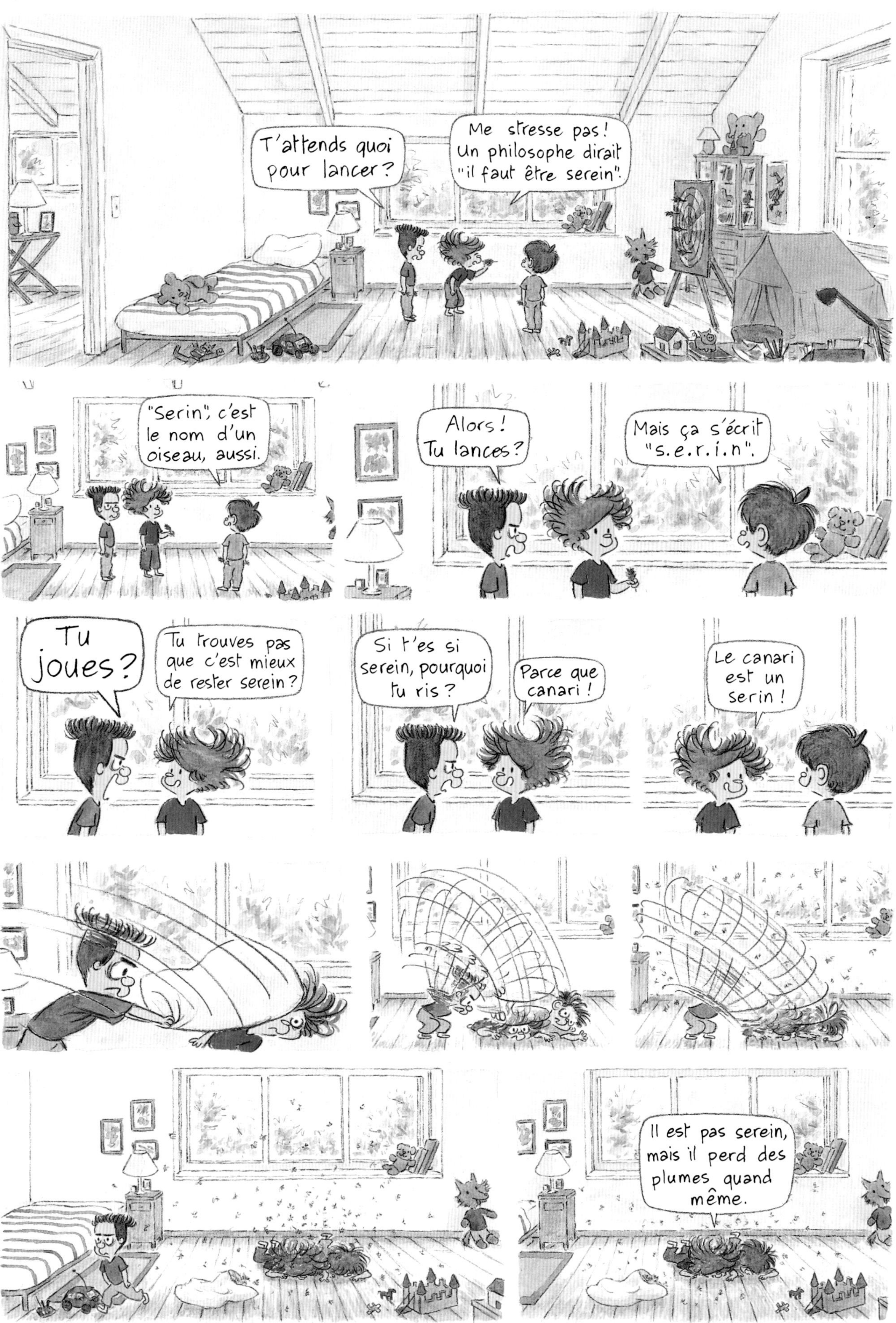
T'attends quoi pour lancer?
Me stresse pas! Un philosophe dirait "il faut être serein".
"Serin", c'est le nom d'un oiseau, aussi.
Alors! Tu lances?
Mais ça s'écrit "s.e.r.i.n".
Tu joues?
Tu trouves pas que c'est mieux de rester serein?
Si t'es si serein, pourquoi tu ris?
Parce que canari!
Le canari est un serin!
Il est pas serein, mais il perd des plumes quand même.
Roques & Dormal

Question

Qu'est-ce que tu vas me reprocher, encore ?
Je te reproche rien.
Je réfléchis.
Quand un enfant fait une grosse bêtise, il se console en se disant qu'un jour, il deviendra grand, et donc sage.
Mais quelqu'un qui est déjà grand...
Bref, en ce moment, comment tu te consoles ?

Roques & Dormal

Littérature

Maman et moi ne partirons qu'une semaine. Tu vois qu'on ne t'abandonne pas !
Tu n'as vraiment aucune raison de nous en vouloir !
Allez... Je te laisse lire... Tu lis quoi ?
"Le Petit Poucet"
J'en suis au moment où il est dans la forêt, avec ses frères...
... et leurs parents les abandonnent !

Roques & Dormal

Herbe

clic
Tu traites l'herbe comme tu traites tes enfants, tu l'élimines !
Sers-toi d'un rasoir électrique, tant que tu y es ! Tu peux l'épiler au laser, aussi.
J'ai déjà entendu ça. Tu radotes !
J'avais pas dit exactement la même chose !
C'est vrai ! Tu fais des variations. Comme Bach.
Tu fais ton "come-back", comme Bach !
Ah ! Je suis drôle !
T'as compris ?
Non ! Tu comprendras quand tu seras assez grand pour te servir du rasoir électrique.
Tu pourras faire de l'épilation au laser, aussi !
Roques & Dormal

Cerises

Pfout !
Regarde !
Pff... tu es comme l'imbécile du proverbe... "Quand le sage montre la lune, l'imbécile regarde le doigt."
Mais justement ! Il y a un petit croissant de lune sur ton ongle : la lunule.
D'accord ! Mais c'est la lune du ciel que je te montre !

Il n'y a pas de lune en ce moment.

Je ne te montre pas la lune ! La lune, c'est dans le proverbe. J'aurais pu dire : "Quand le sage montre le soleil, l'imbécile regarde le doigt."

C'est regarder le soleil qui est imbécile. Ça rend aveugle.

Je ne voulais pas que tu regardes le soleil !

Quoi alors?

Regarde ! C'est beau ! Tu verras ! C'est magnifique !

Où ?

"Quand l'imbécile promet la lune, la sage protège ses cerises !"

Roques & Dormal

Skate

Abandonné par sa mère...
...par son père...
...et par sa soeur...
...le virtuose du skate...
...se désole seul...
CONFISERIE – PRESSE
BOBBY
...seul...
ONFISERIE – PRESSE
BOBBY
...seul.
Tu soliloques ?
FISERIE
BOBBY
Loque toi-même!
BOBBY
Hilarant.
BOBBY
Et pour le virtuose de l'humour, même problème.

Roques & Dormal

La deuxième personne

Est-ce que tu te parles à la deuxième personne ?
Hein ?
Est-ce que tu te dis : "Charlie, TU vas faire ça !"
Non !
Moi non plus.
Et ça veut dire qu'on n'a pas d'identité.
Parce que avoir une identité, c'est être identique à soi-même.
Donc il faut être deux : pour être soi, il faut ressembler à un autre soi qui est le soi-même.
Hein ?
L'ennui c'est que je ne suis que moi.
J'ai perdu l'autre.
Dommage !
J'aurais préféré l'autre.
Roques & Dormal

Pourquoi

Je me demandais pourquoi toi et maman, vous m'avez créé.
Et j'ai la réponse : vous m'avez créé pour la perpétuation de l'espèce !
Oh ! Pfff...
Si ! Pour la perpétuation de l'espèce sonnante et trébuchante...
...les sous de ta retraite !
Roques & Dormal

Norma dans l'arbre 2

Si je vivais dans un conte de fées, je demanderais une robe de mariage en nuages.
Tu es obsédée par le mariage, toi !
Pas du tout ! C'est le nuage qui m'y a fait penser !
Roques & Dormal

Mûrissement

La différence entre les humains et les bêtes, c'est que le mûrissement des humains doit être long.
Alors, pour éviter d'être une bête, il faut que je reste très longtemps avec mes parents !
Mais toi, tu veux stopper mon mûrissement en m'abandonnant pour tes vacances...
Alors je vais rester une bête !
Whôhouhou !
Hou ! Hou ! HOU !
Cling !
Vrouff !
Ben oui. C'est bête.

Roques & Dormal

Taille

Coucou Mamite !
Coucou !

J'ai l'impression que tu as rapetissé.
C'est plutôt toi qui grandis !

Mais tu rapetisses quand même ! Maman dit que ça arrive quand on vieillit.

Il faudrait que je sache quelle taille aura ton cadavre...

...alors je te mesurerais tous les jours !

Et un peu avant que tu aies la taille prévue pour ton cadavre, je saurais que tu vas mourir bientôt et je te gâterais.

Évidemment, ça serait fichu si tu mourais dans un accident avant ta mort naturelle.

Alors pourquoi ne pas commencer à me gâter dès maintenant ?

Ah non ! Après tout ce que j'ai dit, j'aurais l'impression que tu vas mourir bientôt !

Roques & Dormal

Époques

Houhou !
Dis donc, t'en as de la chance de vivre à notre époque !
Tu sais ce qu'on faisait, autrefois, dans le Grand Nord aux vieux messieurs qui servent plus à rien ?
On leur disait d'aller mourir de faim plus loin.
Mais, comme ça pouvait prendre trop de temps, on leur proposait de leur fracasser le crâne tout de suite !
Je n'ai pas de chance du tout de vivre à notre époque.
J'aurais préféré vivre il y a trèèès longtemps... à Carthage...
... où, pour honorer le dieu Baal, on jetait les enfants au feu.
Roques & Dormal

Mémoire

Je note mon rendez-vous, sinon je vais l'oublier !
Haaa!
Il paraît qu'une grosse émotion, ça fixe les événements de la journée dans la mémoire... Là, tu n'oublieras plus ton rendez-vous !
Tu sais que c'est un rendez-vous chez le cardiologue, Pico ?
Non ! Mais je ne risque plus de l'oublier.
Roques & Dormal

Chanteur

C'est qui, ce chanteur, Papic ?
Serge Gainsbourg.
GAINSBOURG
Papic est très tendance ! Il connaît les nouveaux chanteurs avant moi !
Roques & Dormal

Âge

Pourquoi tu ne veux pas dire ton âge, même pas à moi ?
Parce qu'on se sert des âges pour évaluer les gens. Ce n'est pas bien !
Ah oui ! C'est très bête.
T'imagines... Mon âge est un petit chiffre, alors si c'était une note, ça serait une mauvaise note.
Tandis que toi, avec ton gros chiffre, ça serait une bonne note.
À moi, les gens mettraient un "nul" et à toi, un "très bien".
Hmm, hmm.
Mais tu aurais un "très bien" ou un "excellent" ?
Roques & Dormal

Aube

Tu ressembles à un ballon posé sur un oreiller.
T'as de la chance que je préfère le basket au foot !
Sinon c'est mes pieds qui seraient là.
rap
rap rap

Roques & Dormal

Rêve

Alors, tu l'as eue, la trousse de couture dont tu rêvais ?
Oui.

T'es contente, alors ?
Bof ! J'en faisais rien. Je l'ai rangée sous le lit.

Maman dit que c'est comme ça : quand on veut une chose, on en rêve. Et quand on l'a, on n'en rêve plus.

Ding ding

Faut pas vouloir un petit ami, parce que si tu l'as, tu finiras par le mettre sous le lit.

Roques & Dormal

Transats

Dans mon livre, on dit que "les enfants sont des adultes en puissance".

fuuut

Ça veut dire quoi, "en puissance" ?
"En devenir."

Ah, oui... alors, un noyau, c'est un cerisier en puissance.

fuuut

Tu m'énerves à vouloir planter des cerisiers n'importe où dans ce jardin.
Peut-être que je suis un emmerdeur en puissance ?

Non ! Tu es un puissant emmerdeur.

Roques & Dormal

Antoine

Salut Antoine! Tu sors direct du bureau?
Oui!

Smac!

Ta cravate, on dirait une épée molle.

"Aux armes, citoyens! Qu'un sang impur abreuve nos sillons!"

Moi, j'abreuverai d'injures ceux qui voudront me faire porter une cravate!

Roques & Dormal

Antoine curieux

Il paraît que tu t'es fâché quand tu as appris que tes parents vous laissaient pour quelques jours de vacances.
Oui.

Tu n'as plus l'air très fâché. Ce n'était donc pas si grave.
Si! C'était grave...

...J'ai pris dix ans d'un coup.

Mais du coup j'ai l'âge où on est content de passer une semaine sans les parents.

Roques & Dormal

Annonce 2

Les enfants ! Antoine vous emmène à la mer pendant que votre mère et moi voyagerons !
Ça te fait plaisir ?
Quand les parents du Petit Poucet ont voulu l'abandonner, ils ne l'ont pas livré directement à l'ogre !
Antoine ne te mangera pas !
Si ! Tu as vu ! Il pique ma nourriture !
Ça me fait de la chair en moins.
Roques & Dormal

De quoi

Il paraît que tu ne nous en veux plus ?!
De quoi ?
Qu'on parte seuls, ta mère et moi.
Bah ! On peut se passer de vous.
D'ailleurs, vous êtes même pas obligés de revenir.
Roques & Dormal

Pétanque

Je pense à un truc… Quand on est mort, on devrait se manger les uns les autres…
…parce qu'on s'aime les uns les autres !
T'es folle ?
Non, je suis pas folle !
Je mangerais pas un être humain !
Même moi ?
Encore pire !
Tu m'aimes pas ?!
Vous inquiétez pas. Je vais lui dire que je la mangerai.
Roques & Dormal

Fleur

Regarde! Sur cette fraise, il y a encore les pétales de la fleur d'où elle vient !

On dirait que la fleur se fane en accouchant de la fraise.

Toi, t'es pas une fleur. Tu t'es pas fanée en accouchant.

T'es plutôt comme une vache !

Mais qui s'appellerait pâquerette !

Roques & Dormal

Piscine 4

Il faudrait que tu changes l'eau. Elle est sale.

Mais c'est du gaspillage !
Change-la !

Dis! Je suis un adulte en puissance. Toi, tu n'es plus un adulte en puissance puisque tu es déjà adulte !

Alors depuis quand celui qui a la puissance doit obéir à celui qui ne l'a plus ?

À mon avis, il y a une erreur dans ton raisonnement.

Roques & Dormal

Vélo

Tu viens faire un tour à vélo ?
Non. Je m'occupe de la nouvelle table, Pico.
Qu'est-ce que tu fais ?
Je patine le bois pour le vieillir un peu.

Eh ben nous, on va vieillir un peu tout seuls.

Roques & Dormal

Départ en vacances 1

Y a quoi là-dedans ?
Le pique-nique ! Avec une salade de haricots aux lardons.
Berk !
T'arrives pas à le soulever ? Quel mollusque !
Méchant !
Mais non ! Tu es mon neveu ! Je te parle comme je me parlerais !
Comme si tu étais moi !
Si je suis toi...
...tu risques pas de manger des haricots.

Roques & Dormal

Départ en vacances 2

Au revoir, les enfants !
Au revoir, maman ! Au revoir, papa !

C'est quand même pas normal que des parents abandonnent leurs enfants pour les vacances.

Ils ont un dysfonctionnement du cerveau.
Dommage qu'ils soient vieux : ils ne sont plus sous garantie... On peut pas les renvoyer à leurs fabricants.

Nous on est encore sous garantie.
Oui... Et si on dysfonctionne pendant les vacances, on sera renvoyés à nos fabricants.

De toute façon, Antoine nous renverra chez nos fabricants après les vacances.
C'est vrai.

Alors autant dysfonctionner à fond.

Roques & Dormal

Début des vacances

Antoine! La vue est magnifique! Viens voir!
Non merci!
La vue est vraiment belle! Il faut que tu montes!
Non! J'ai pas envie, Pico!
Mais comment je fais pour descendre, alors ?

Roques & Dormal